かがくるBOOK

目次

第1章　カエルとサンショウウオ探し

第2章　電撃比較！　ヒルとミミズ

＊イラスト化にあたり、いきものをデフォルメして描いています。

登場人物

エッグ博士

好奇心★★★★★

- 誕生日　6月15日（ふたご座）
- 血液型　A型
- 今回のミッション

①カエルの卵の採集　②サンショウウオの一時保護

③廃屋探検　④野外での池作り

ヤン博士

調整力★★★★★

- **誕生日**　1月1日（やぎ座）
- **血液型**　AB型
- **今回のミッション**

①オタマジャクシの成長過程の撮影

②牛レバーの準備　③モグラの捕獲

ウン博士

探求心★★★★★

- **誕生日**　2月17日（みずがめ座）
- **血液型**　A型
- **今回のミッション**

①おもちゃのブロックでカエルの家作り

②ヒルの採集　③ミミズの鉢植え作り

カエルとサンショウウオ探し

湿地に生息するカエルとサンショウウオが
冬眠から目を覚ましたらしいよ！

第1話 冬眠したい！

ピョン
こんにちは。エッグ博士だよ。
チーム・エッグの事務所には冬眠中のいきものがいるんだけど～。
エッグ事務所
モッコリ
コソ
シッ、そうだよ！
あのふとんの中にいるの？

＊太陽暦の3月5日〜6日ごろにあたるよ。

湿地生態公園
ウ……、春だけど
まだ肌寒い。
ブル
ブル

ヒャア、
さむっ！
早く体をほぐすよ！
1、2
1、2
1、2
あれ？

あのいきものは
アメンボ？

おお！
カシャッ
あっ、
ゲンゴロウも
いるぞ??
カシャッ
ハハ、やっぱり！
いきものを見ると
勝手に体が動き
始めるね！
フッ

どう、春を
感じてる？
フフ

湿地と湿地のいきものたち

湿地は水に浸かっていたり湿気が多かったりする場所のこと。
川や湖の周辺、沼、田んぼなども湿地と言えます。
湿地にはさまざまな動植物が暮らしています。

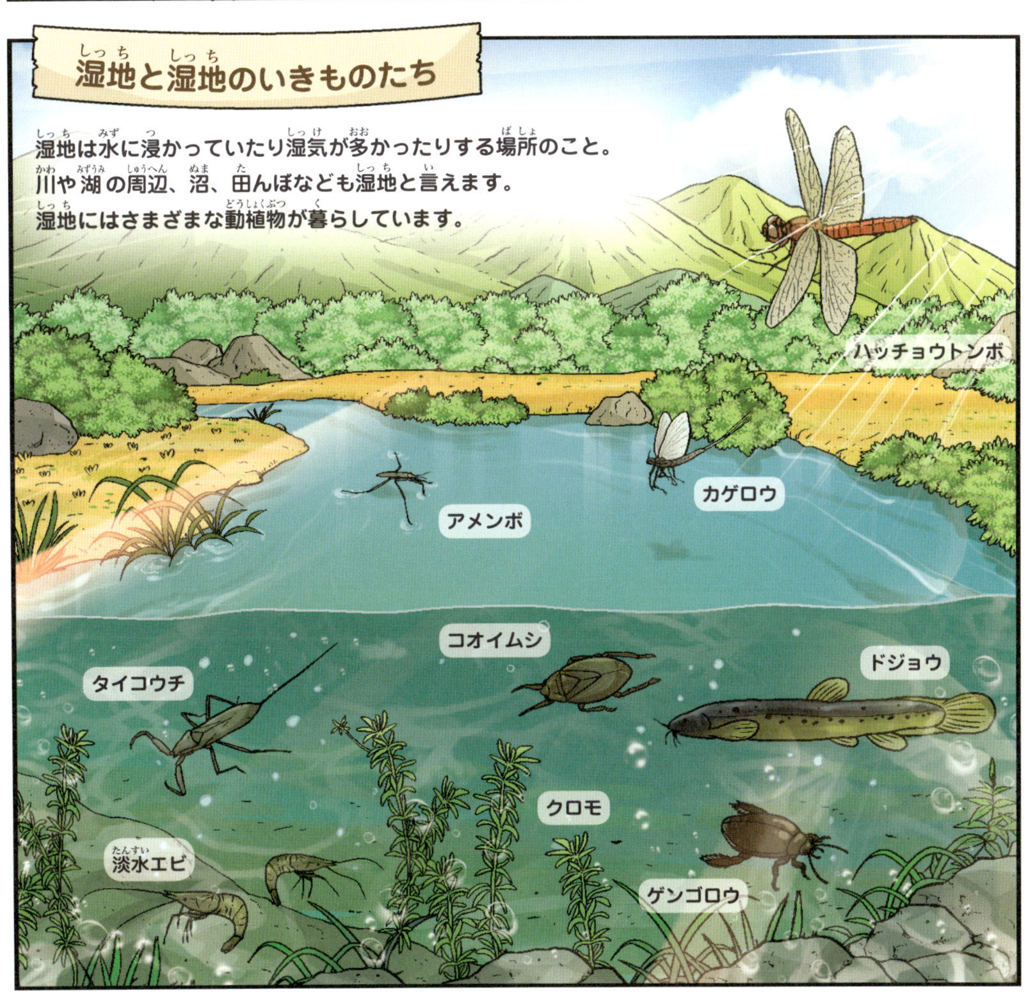

パッ
では、カエルの卵探しに出発！
ウン博士もかぶって！
スポッ
ウッ、これ何だよ！
ハハ

キョロ
カエルの卵はどこにあるのかな？
待って！
？

見つけた！今日の採集場所はあそこだ！
何？

まずは、ついてきな！
あそこだって？
何があるの？
タッ

おお、本当にカエルの卵だ！ここにあるのがどうしてわかったの？
カエルの卵
フワフワ〜
ウキクサ
小さくて丸いウキクサを見てわかったんだ。ウキクサはオタマジャクシがよく食べるんだ。

卵をよく見ると、まん丸の黒い点が
見えるよね？　この形で卵が生まれた
時期がわかるんだよ。生まれて
間もないほど、円形に近いよ。

あっちにも
あるぞ！
行こう、
行こう！
ダダダダ

こっちには
つぶれたハート形の
卵があるよ！

このカエルの卵は
黒い点が長いでしょ？　さっきの
卵より先に生まれた卵だと
いうのがわかるよ。
©Shutterstock

もうすぐ卵から出て
オタマジャクシになるね。
のろのろ
泳ぐ～。
ピクッ
ピクッ

さあ、おしまい。
次は別の場所に
移動しよう！
はい!!
サッ
サッ

あっ、あの卵も
カエルの卵なの？

カエルの卵とサンショウウオの卵

＊卵の産み方は種によってさまざまなのでこれは一つの例です。

カエルの卵の例
透明なゼリー状の丸い膜の中に黒い卵が入ってるよ。

サンショウウオの卵の例
透明な管の形の長い袋の中に卵が集まってるよ。

☆注意☆
サンショウウオやカエルの中には捕獲が禁止されている種があるので、採集する際は必ず確認しましょう。

この子たちはどんなカエルになるのかな？
トノサマガエル？
いや、ツチガエルかもしれない。
でなけりゃ、ニホンアマガエル？
ウシガエルじゃないよね!?

あれ!?エッグ博士、何か手についてるよ。
え？

ウワッ！ヒルだ!!
ウワァッ
ジュル
ジュル

ウワァッ
は、離れろよ！あっち行け！
ヒルはすごくかわいいのに〜。

あれ？
ブ〜ン
ピタッ

ウワアッ
僕に投げるなんてひどい！
バタ
バタ

ウワッ！
ウワアア
ドン

ハッ
ジャボン

メラメラ
今日の隊長を川に落とすとは！

コラアッ
待て！
行こう！
ユラ
ユラ
ダダダダ

挑戦！オタマジャクシを育てる！

アハハハ
40日も経てばカエルになるんだぞ！
お前はビリだ！
ビ、ビリ？

モゾ
僕だって負けないぞ！
ピクッ
モゾ
ウウン……。

ニュ〜

ウワア！ 外に出たら体が自由自在に動くぞ〜！
ポン
エラ
☆集中探求☆
オタマジャクシはエラ呼吸をするよ。

ドーン
はっ！
巨大なカエルの卵？

キラ
ヤッホ〜！最後に残った卵も孵化したよ！
キラ
え？
人じゃん。

わあ、孵化の瞬間を映像で撮れるなんて！神秘的だなぁ。

オタマジャクシをカエルに育てるのは決して簡単じゃないんだ。
喜ぶのは早いよ。この多くのオタマジャクシの中のごく一部しか生き残れないんだ。
ポン

私、ヤン博士もオタマジャクシの成長過程を100%すべて撮るぞ！
メラメラ
何を言う！僕、エッグ博士は100%すべて、カエルに育て上げるよ！
ギュッ
そ、そうかい。

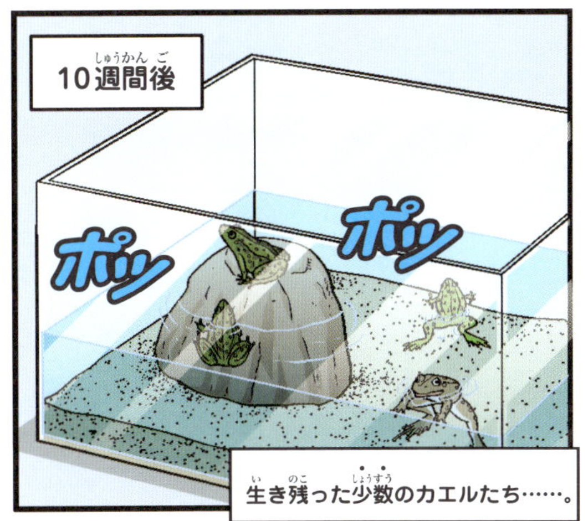
10週間後
ポッ
ポッ
生き残った少数のカエルたち……。

何かが足りない撮影記録……。

ミッション失敗
ウェーン！
なぜ泣く？
げっそり〜

個体数がこんなに減るなんて……。
僕にはオタマジャクシを育てる資格なし。
ヒンヤリ
ワナ
ワナ

僕はいちばん大事なシーンを逃しちゃった……。
オタマジャクシのしっぽが消える瞬間を撮れなかったんだ。
グスン
グスン

さあ、みんな
こっちに来て！

ウン博士の予言が
当たった。
ヨタ
ヨタ
早く！

オタマジャクシの変身
ジャ〜ン
ウワ〜
え？
末っ子ガエルが
ここにいたのか！

たくさんではないけれど、
無事にカエルになった
オタマジャクシも
いるよね？
末っ子も
こうしてカエルに
なったし！
エヘン！
よかった……。
卵からかえったのが昨日の
ことのようだよ。

ヤン博士が撮った
オタマジャクシの姿を確認しながら、
思い出を振り返ろう。
オオ～いいね！
カチャッ
ウィーン
オタマジャクシの変身

カエルの一生

❶メスのカエルが産んだ卵の上に、オスのカエルが精子をかけて受精します。
❷卵からオタマジャクシに変わります。
❸後ろ脚が出ます。
❹前脚が出ます。
❺陸に上がります。
❻しっぽがなくなってカエルになります。
カエルは変身の天才だね！
へへ、よく撮れてるでしょ？次の映像も確認してみようよ！

オタマジャクシとの60日

えさ投下！
ポトン
何だろう？
何だ？
モグモグ！
おいしい！
ワァ〜
たくさん食べてすくすく育て。
モグモグ
犯人３
すくすく育て！
１日前にくんだ水
きれいな水に換えてあげるね。
へへへ
元の水も混ぜる
孵化後
25日経過！
前脚がニュッ！
ピョンピョン、カエルになった！
ピョン
ゲロ
ピョン
ウワ〜
トノサマガエルになった!
POP CORN

ありがとう、ウン博士。
いい時間になったよ。
どういたしまして。

そろそろカエルたちを自然に返そうか？
ポロッ
何だって!?

いやだ～！
こんなに早く
別れたくない！
うっ……。
あともう1週間だけ！
ササッ

ゲロ！ゲロ！

スタタッ
ほら見ろ！
トノサマガエルたちが
僕らを呼んでるよ。

ガラ～ン
ウワッ！
あれ？
みんなどこに
行っちゃ
った？
お兄ちゃん
たちが
消えた！

＊１巻の「ハチ・クワガタムシ・カブトムシ」も見てね！

陣取りゲーム

カエルの卵の国の陣地を作ろう！

遊び方

❶友だちと違う色の色鉛筆を用意する。
❷順番を決めて自分の番になったら、
カエルの卵２つを線で結ぶ。
❸友だちと交代しながら線を結び、
三角形ができれば自分の陣地になる。

第3話

カエルの身体能力

トノサマガエルのきょうだい
（ふたの開けっ放し注意）
トノサマガエルです！兄さん！
キラ
キラ

真剣
末っ子よ、われらは誰だ？
謹厳

さあ、私たちがするのを見てまねるんだぞ。
しかし、わが末っ子は未熟だ。
そうだ。われわれトノサマガエルは優れた身体構造を持って生まれた。
コクッ
コクッ

ジャンプ、
高跳び！
幅跳び！
ジャンプ、
ジャンプ！
ピョン

スイム！
スーイ
スイム！

カラー
チェンジ！
チェンジ、
チェンジ！
スススス

ゲロ
鳴き袋
ふくらまし！
あっ、これは
難しそう!?

カエルたちが跳び始めてる。
自然が恋しいみたい。
ウウッ、
もう返して
あげなきゃ。
ピョン
ピョン

カエルが自然に
うまく適応できるよう、
いろんな訓練をさせて
みようか？
訓練？
どうやって？

ジャーーン
ここは温室だね？
ワア～
小さな池もある！
オ～
キョロ
キョロ
前に見つけた場所だけど、いいだろ？
カエルが自然を事前に体験するにはもってこいだね。

それだけじゃ
ないぞ！　立派な家も
作ってあげるぞ。
ガラガラ
オオ〜
どうやって!?

ブロックでカエルの家作り！
準備するもの
たくさんのブロック
カエルが出入り
できるドア
アクリル板

最初にプレートの
上にブロックを積んで
壁を作るよ。
ザッ
ザッ
そして、階段とか
柱とかいろんな
形を作るんだ。
ポン
お〜！　かなり
カッコいい家に
なりそう！
ザッ
ザッ
楽しみ〜
どんな
家かな？

カエルの家のできあがり！
ドドーン
立派
ウム、大きすぎるかな？
カエルたちが怖がるんじゃない？
自然はこれよりずっと巨大だ。
カエルきょうだいのガッツを試してみよう。
行け、カエルたち！
ピョン

カエルの驚くべき身体能力

＊皮膚の色を変えるのが得意なのはニホンアマガエル。トノサマガエルはアマガエルほどには色を変えられません。

ブロック内に閉じ込められた末っ子ガエル。
ど、どうやって脱出するの？
モタ
モタ
!!
末っ子よ！ジャンプするんだ！
後ろ脚に力を集めて……。
ギュッ
ドガーン
ジャンプ、ジャンプ！
はっ、跳び越えろって言ったのに壊しちゃった！
ピョン
すごいパワーだね。自然に返しても心配なさそう。
ところで、カエルたちをどうやって元に戻す？

そんなの！
逃げるぞ！
ダダダダ

ノソノソ
徹底的に！
ハッ！

くまなく、
ウッ！

探す……
カエルさん、バー！
しかない！
キャー！

4匹捕獲完了！
ハァ
ハァ
でも、末っ子が行方不明。
ハァ
ハァ
博士たち、大変だね。

末っ子、
どこなの！
もう
帰ろうよ～！
ウヘヘ。
探せないよね？

末っ子！
ピクッ
ピクッ
どう？
僕の変装術！

ゲロー
ポコッ
はっ、
知らないうちに
鳴いちゃった！

よりによって
鳴き袋が
今鳴るなんて！
この子、
捕まえた！
ガシッ

最後まで
よく
耐えた！
へへ
かくれんぼの
達人、認定！

カエルたちと
かくれんぼしてて
時間が過ぎるのを
忘れてた。
ゲロ〜
カエル
きょうだいたちの
自然体験訓練は
合格だ！

このとき、3人の博士と
トノサマガエルのきょうだい
たちは知らなかった。
チーム・エッグ
事務所
ゲロ
ゲロ
ゲロ
ふふふ。
ククッ。
見知らぬ侵入者が事務所で彼らを
待っていたことを……。

第4話

対決！カエルの獲物狩り！

チーム・エッグ
電気つけて。何も見えないよ。
スイッチが……。
モタモタ
パチッ

あれ？ 事務所のドアが開いてるぞ。
キー

ブラ
ブラ

ウワア！
Hi~!
クモ!?

前方２ｍに獲物発見！
ベロン

ジャンプ！
ピシャッ

bye bye~
ゴックン
オオ〜ナイス
あ、ありがとう。末っ子ガエル！
ピタッ

でも、なんだか事務所の様子がおかしい……。
ゾクッ

モグモグ
クチャクチャ
ボリボリ
ハッ、何の音かな？
あっちの部屋からだぞ。
ササッ

ドドーン!!
クチャッ
ウワアッ！
怪物ガエルだ！
クチャ
クチャ

ロロとププは俺のかわいいペットガエルなんだぞ……。
クルッ
エッグ博士のいとこ！

怪物ガエルだと……。
キーッ

どうして
ここに……？
こんにちは。
エッヘン、
よし。
ヨシ
ヨシ

まったく、
どうやって
ここに
入れたの？
クッ、単純な奴め。
ドアの暗証番号は
お前の誕生日だと
思ったよ。
2人は
幼いころから
仲が悪い
んだ。

お前らの放送は
よく見てるぞ。
最近はカエルも
育ててるんだろ？
見てくれたんだ。
ありがとう。
フフフ
そこでお前らに
挑戦しに来た！
名付けて大食い
対決番組！
大食い番組？

来たか、小僧たち。
生放送でカエルたちが
獲物を捕まえて
食べるところを流して
対決するんだ。
何？
そんな勝手な！
フッ～
ムカッ
誰が
小僧だと！
ロロとププ
VS.
トノサマガエル
きょうだい

こうやって始まった生放送。
こんにちは、エッグ博士だ……。
こんにちは、本日のスペシャルゲスト、エッグ博士のいとこだよ！
ボコッ
サ
サッ

僕が飼っているカエルのロロとププは、インドネシアとアフリカから来たカエルなんだ。
これからカエルたちの狩りを観察するよ。
ブル
ブル
主なチャット
ヒヤカッシー：ロロ、ププ vs. トノサマガエル！
アツカマッシー：ウワ、すごくでかい！
ルビー：2人が対決してるみたい。
ランボー：私もカエル飼いたい！
在来種のカエルと外来種のカエルの対決！

1回戦
コオロギ狩り
ガブッ
ホホ！　両方ともよく食べるね！
モグ
モグ
モグ
1回戦の結果は引き分け！

＊ペットのえさとして売られている甲虫の幼虫。
大型のものはスーパーミルワームなどと呼ばれています。

3回戦の勝利を
ロロとププに
取られたので
トノサマガエル
きょうだいは
ピンチです！
あいつら、
ただもんじゃ
ないぞ。
ウウウ
フフフフ

最後の対戦、
謎の虫狩り
この虫は
腐った肉を食べると
いわれてるんだ！
ア〜ン
?!
ガブッ
ガブッ

3
2
1
ギクッ
プッ
ウワッ、
熱い！
プシュ
シュシュシュ
ロロ、ププ！
大丈夫か!?

ぺぺぺぺ！
ロロとププを苦しめた虫の正体はミイデラゴミムシ！

コホッ、何あれ、怖い！
ミイデラゴミムシは危険を感じるとお尻から100℃の熱いガスを発射します。
ウン!?

モグ〜
!!

す、末っ子！
危険だから、早く吐きな！
え？ 何ともないけど。

ウワ……
平気〜
主なチャット
ジュオニー：トノサマガエルがこんなに強いなんて。>_<★★★
ノンジョン：今日の放送の人気投票しよう！ 私は末っ子に１票！♥♥♥
末っ子ガエルが食べたミイデラゴミムシは運よくガスを全部出し切っていた！

カエルたちの
大食い対決！
カエル人気投票！
末っ子ガエルが1位！
1位 末っ子ガエル
80%
2位 ロロ
8%
3位 ププ
ブル
ブル

ヘヘッ
どうだい？
うちのトノサマガエルの
実力は？
ヘヘッ
ウウ、ロロとププが
惨敗するなんて！

おかげで楽しかったよ。
感謝の印にカエルのえさを
プレゼントするね。
ミイデラゴミムシ

ウワア、
いらない！！
スタタッ

トノサマガエル
ブラザーズ、
狩猟訓練合格！
みんな、
自然に帰る準備は
できてるかい！?
イェーイ！
ゲロ〜！
ヤッター！

カエルの食物連鎖

食物連鎖とはいきもの同士の「食べたり食べられたりする関係」のことだよ。
カエルの狩りの方法やえさ、天敵について知ろう。

カエルの狩りの方法

カエルは目にもとまらぬ速さで舌を伸ばし、獲物を舌で捕らえて口の中に入れます。

舌が獲物に触れると、唾液がベタベタし始めてハエ取り紙のようになるよ。

カエルは止まっている物体がよく見えず、動いているものだけを捕獲します。

カエルの食物連鎖

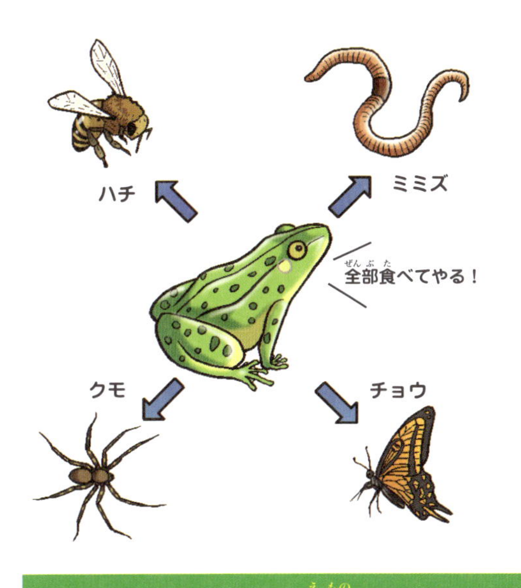

カエルの獲物

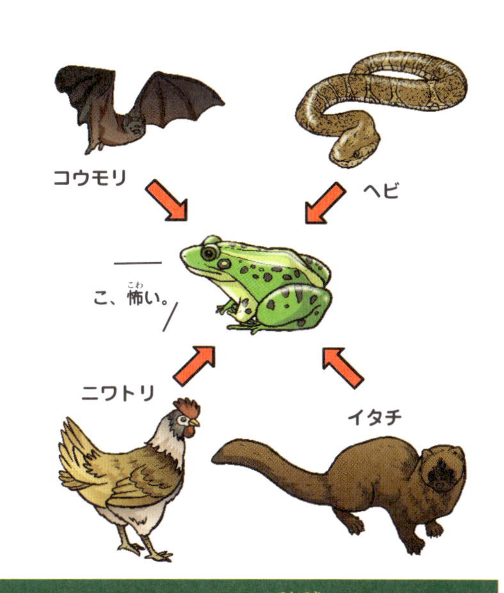

カエルの天敵

いろいろなカエルを描いてみよう

エッグ博士が出会ったカエルたちだよ。カエルの絵を
右のスペースに同じように描いて好きな色で塗ってみてね！

在来種のカエル

トノサマガエル

ニホンアマガエル

外来種のカエル

アフリカウシガエル

イエアメガエル

第5話

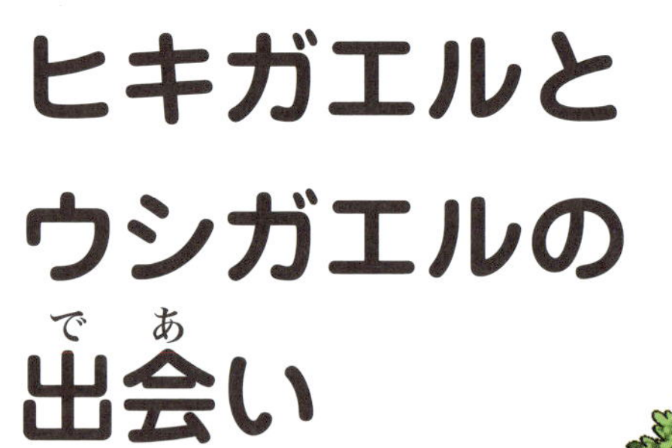

ヒキガエルとウシガエルの出会い

まさか僕らと別れるのがいやなの？　そうなの？
スッ
スッ
ウウッ！

ゲロ
みんな！
ゲロ
早くおいで！
ゲロ
あれ見なよ！カエルの仲間がいっぱいいるぞ！

ピョーン
キャハ
みんな、よろしくね！
ハッ！
あの子たち、仲間を見た瞬間行っちゃったよ。
みんな～！元気でな！
グスン
この湿地はカエルが暮らすのに完璧な場所だよ。心配するなって！

ここには日本で見られるカエルをのせています。

両生類について知ろう！

両生類は魚類と爬虫類の中間に位置するよ。
子どものころは水中でエラ呼吸をし、大きくなったら陸に上がって肺や皮膚で呼吸するものが多いよ。

両生類の種類

サンショウウオ

カエル

アシナシイモリ

両生類への進化

＊スズガエルの仲間は日本にはいません。
韓国には、チョウセンスズガエルがいます。

どうして池にはまったんだ？
オエ〜
でもカメラは無事だね。
ジ〜ン

本物の写真家は大事な瞬間を逃さないもの！
あ！？
スーッ

ヒキガエルが泳いでいるところを撮ったんだね！
イヤ〜
すごい情熱だね、ヤン博士！

あそこだ！あの子たち、まだいるね？
タタッ

さっきから片方がもう片方を追いかけてたんだ。
気になるからあの２匹をずっと撮影しようか？
スッ
そうなの〜？
サッ
サッ

拡大～！
あれ！?
ノッソ
ピョン
ノッソ

よく見ると追いかける方はヒキガエル、追われる方はウシガエルだね！
本当？

オスのヒキガエルはウシガエルをメスのヒキガエルだと勘違いすることがたまにあるんだ。
興味津々！
オスのヒキガエルがウシガエルをメスのヒキガエルだと思い込んで求愛してるみたい。
何だよ？ 俺はウシガエルだって！
ヒキちゃん、僕の愛を受け取って！

似ているけど違うウシガエルvs.ヒキガエル

ウシガエルとヒキガエルは見た目が似ているけど、よく見ると異なる特徴を持っているよ。

©Shutterstock

ウシガエルは水中と陸上を行き来して暮らしてるよ。

ヒキガエルは陸上で暮らしていて、産卵するときに水辺に移動するよ。

ウシガエルの皮膚はしっとり湿っている。

ヒキガエルの皮膚にはイボのような凸凹がある。

ウシガエルの皮膚には毒がないよ。

ヒキガエルは敵に会うと皮膚から毒を出すよ。

ウシガエルは後ろ脚が長くて跳ぶのが得意だよ。

ヒキガエルは後ろ脚が短いからジャンプするより歩くよ。

ヒキガエルの恋の結末はどうなる！
愛してる、愛してるってば！♥
離せってば！お前はヒキガエルで俺はウシガエルなんだぞ！
ヒョイッ
はっ！　アオサギがウシガエルをくわえていっちゃった！
オエッ！
ヒ、ヒキちゃ～ん！
ウシガエルに向かったヒキガエルの恋はこうして終わってしまいました……。
ダメ～
グスン
グスン
悲しすぎるよ～！

アオサギの狩りの様子まで撮影成功！
よし、もうかたづけよう。

エッグ博士、何してるんだ？もう帰ろう！
ノッソ
ノッソ
待って、ここ、すごく見覚えがあるんだ！

以前、サンショウウオの卵を見つけた場所のようだけど……。
アッ！

あっ！　あそこにサンショウウオが!!!
ドドーン
エ〜ン
エエン……、僕が暮らしてた池がなくなっちゃった。
エ〜ン

ミッション：サンショウウオの一時保護！

サンショウウオの「ショウちゃん」
一時保護ミッション
1．サンショウウオにえさやり
ヤン博士の担当
2．サンショウウオの種の特定
ウン博士の担当
3．サンショウウオの新しいすみかを見つける
エッグ博士の担当
ミッション1
サンショウウオにえさやり
えさの用意はヤンシェフに任せな！
昆虫
サンショウウオのえさ
ミミズ
クモ
オタマジャクシ
昆虫の幼虫
サッ
☆注意☆
サンショウウオは肉食性なので生きているえさを与えること。
えさの採集だ！
ヤル気満々
ガシッ
まず事務所にあるえさからね。
わかった。じゃ、自然にあるのと似たもので。
これもあげて。
あれもあげて。
クネクネ
クルッ
クルッ
ジタバタ
クルッ

うちの
ショウちゃんは
味にうるさい子
だった。
フン〜

野生で暮らしてたから
人が与えるえさには
慣れてないんだね。
ショウちゃん、
何を食べたら
元気になるのかな。

♪
パク
パク
あれ!?
冷凍アカムシを
食べてるよ？
意外に加工食品が
好きなんだ！
BLOOD
WORMS
HIKARI BIO-PURE

モグ!
よし、よし！
他のえさも
食べ始めたよ。
オーケ〜。
冷凍アカムシで
食欲が出たんだね！
ガブッ
しょくよくばくはつ
食欲爆発
フゥ〜
冷凍アカムシの
おかげだ。
サンショウウオのえさやり、
ミッション完了！

サンショウウオの見た目

ふつうのサンショウウオは、カエルのように体は小さいけど、しっぽがあるのが特徴だよ。

世界最大の両生類オオサンショウウオ

日本の固有種であるオオサンショウウオは、世界最大の両生類。全長は60cmくらいだけど、148cmという記録もある。3千万年前の化石と今の姿がほとんど変わっていないことから、「生きた化石」と呼ばれているんだ。国の特別天然記念物に指定されていて、許可なく捕獲・飼育すると罰せられるよ。

*韓国南東部固有のサンショウウオ。

ミッション3
サンショウウオのすみか探し
○○渓谷
△△渓谷
おもな渓谷は検索完了！

ふむ、開発による自然破壊でサンショウウオが絶滅の危機に直面する可能性が高いのか。

ショウちゃんは安全な場所に行かなきゃいけないよね。
自分で選んでみる？
ブ〜ン

あっ！　マジで選んだの？
バシッ
ハエを捕まえた。
△△渓谷

あれ？ここは！

ファ〜
この近くがよさそう。準備するものも確認！
よし、OK！
パチ
パチ
パチ
エッグ博士、それぐらいにして寝よう。

＊1　指標生物：自然環境を表すための基準になる生物。

＊2　よく見かけるザリガニは、汚れた水にすむアメリカザリガニですが、きれいな水にすむザリガニの仲間もいます。

それにここはうちのおじいちゃん家のそばで、おじいちゃんの山でもあるんだ。
おじいちゃんが時々ショウちゃんを見に来てくれるはずだよ。
歩き慣れてるなあと思ったけど、養蜂場の裏だったんだね。

ガサッ

はっ、ショウちゃんがもう相手を見つけたみたい！
シッ！見守ろう！

ショウちゃ～ん、ここでたくましく生きるんだぞ！
ここで代々末永く過ごせる巣を作ってね！
bye~
bye~
サンショウウオのすみか探し、ミッション完了！

久しぶりに山登りしたら疲れた。
早く山を下りて休もう！
ウワ〜

あれ？
あれは何だ？
ゴチャ

みんな……。
スーーッ

分別のない自然開発によってすみかを失ったショウちゃんを見て、何か思わなかった？
演説中〜
人間によってすみかを失ったいきもののために……。
ウッ……。
不安……。

僕らが何かを作ってあげよう！
それがまさに野外での池づくり！

＊よその人の土地にはつくらないでね。

1時間後
いいことをするのだから楽しく！

2時間後
こ、腰がちょっと痛いけどがんばらなきゃ……。

3時間後
体が重い……。

グターー
ベタッ
エッグ博士！池づくりの言い出しっぺが何してるんだ！
早く。
ウウッ
思ったより大変すぎる。休み休みやろう……。

ヘッヘッ
俺の縄張りに入るとは！
スーーッ
ああ、疲れた。楽じゃないね。

頭の後ろをクリッククリック！
トン
トン
あれ？何だ？

スーーッ
ウワァッ

ヘビだ！いったん今日は退散！
えっ、ヘビ？
ま、待って！
追い出し成功
ククク
ギャー
ウフフ、俺がヘビに見えるのかい？

両生類の仲間を探せ！

湿地にさまざまないきものが集まっていますね。ここにいるいきものの中で
両生類の仲間を探して○をつけてみましょう。

ヒント カエルの仲間、サンショウウオ、アシナシイモリ

正解：150ページ

第2章

電撃比較！ヒルとミミズ

クネクネと体を自由に伸ばしたり縮めたりできる
ヒルやミミズに会いに行こう！

湿地で会ったいきものたち

連れてって
うちの菜園に放せば
ピッタリだよ。
あの時は
見間違えたんだよ。
あれはヘビじゃ
なかった！
いや、
はっきり
見たよ！
クネクネ

よく見て。
このミミズより少し大きい
くらいだったよ……。
クネ
うーん、
違うけど……。

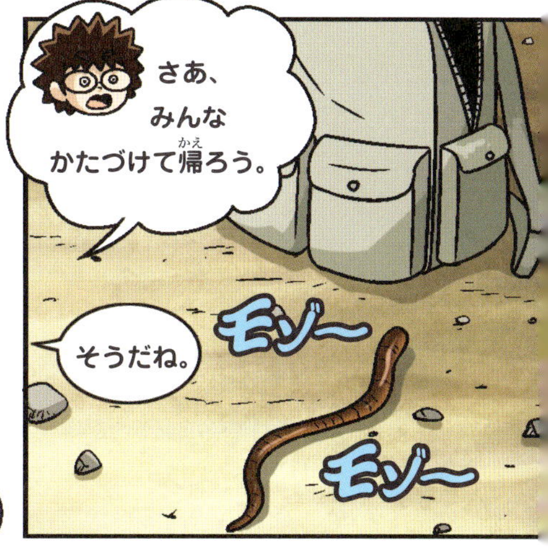
さあ、
みんな
かたづけて帰ろう。
そうだね。
モゾ〜
モゾ〜

全部
入れた？
ミミズは
ヤン博士が運んで。
リュックは僕が
背負うから。
うん。
フフフ
ソロリ

エッグ博士にヘビ恐怖症が追加されたね。
あのヘビは危険だったよ。

ヘビじゃないって！
ヘビだよ！
ああだ
こうだ

違うってば!!
そうだってば!!
メラメラ

あれ？あれ見て！

この丸いものは何だろう？
それ何？
あ？それは！

ガーン
ニョロ〜
ヒルの卵のうだ！
ヒ、ヒル!?

最近はあまり見られないって聞いたけど！
カエルの卵を採集している時に見たあのヒルの卵だって？

思い出した……。いつの間にか噛まれてたんだ。
え？
☆注意☆
ヒルの唾液には麻酔成分がありて気づかないうちに噛まれていることもあるので気をつけて。

よし、観察してみよう。
エッグ博士も来なよ！
いいよ。入ったらまた噛まれるし！

周りにたくさんいるから、ヒルの生息地みたいだね。
ハハ、そうだね。

笑ってる場合じゃないよ！
2人とも、う、後ろを見て～！
ヒヒ、おいしそうなにおい！
温かい血に向かって突撃！
モゾ～
モゾ～

緊急事態！
ヒルの攻撃！

3博士の対処法は？

勇敢なヤン博士！
全てのいきものを
調教するぞ！
ヒルよ、
来い！
サッ

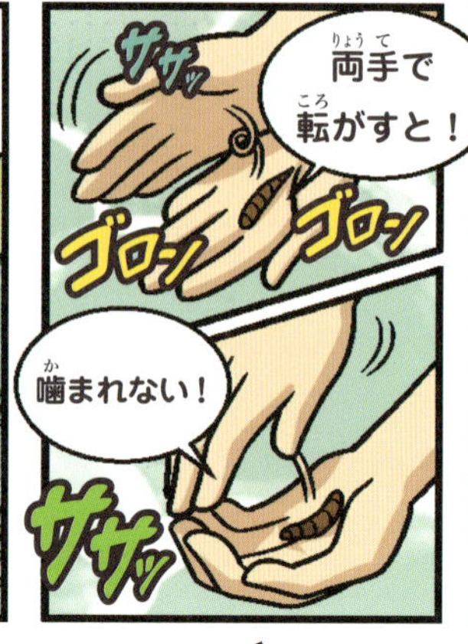
サッ
両手で
転がすと！
ゴロン
ゴロン
噛まれない！
ササッ

ウワッ、
噛まれた！
ウワッ
チュ〜
自信満々だったが
ひどい目に遭う
タイプ

待って、僕が
助けてあげる！
離れない
んだ！
ザーッ

ヒルよ、
向こうに行け！
ウワッ！
酢
パラ
パラ
塩
大騒ぎしながら
退治するタイプ

足を
攻撃！
突進！

ふう〜、
釣れた！
そんな！
ジャー
余裕綽々で
採集するタイプ

ヒルの生態と種類

ヒルは、多くの体節が連なった円筒形の体節からできている**環形動物**に属します。ほとんどは淡水に生息しますが、海や陸に生息する種もいます。

ヒルの生態

外見

体は長くて円筒形であり、頭と尾の腹側に吸盤があります。

オス・メスの区別

ヒルは雌雄同体で、１個体にオス・メス両方の生殖器があります。

ヒルの卵

ヒルは１年に１度卵を産みます。卵は卵のうの中に産み出されます。

ヒルの卵のう

ヒルの種類

世界中に680種以上がいます。

ヒルの種類はとても多様だよ。

チスイビル

ウマビル

ヤマビル

チーム・エッグ事務所
ウウッ
ヘッヘッ、すごい一日だった。
本当にそうだね。
ハァ

2人ともお疲れ。ミミズだけでなくヒルまで採集するとは！
クネ
ここはどこ？
クネ

環形動物をテーマにすごい映像が作れそうだけど？
早く撮影しよう！
いいアイデア！
ガバッ

まずこの
子たちを広い場所に
移そうか？
スーッ
そうだね。
スーッ

頭の後ろを
クリック、
クリック。
……？
トン
トン

待てよ、
この状況は！
ゾーッ

ウワアッ
ウワア！
あの時のあの
ヘビだ～!!
エッグ博士、
バアッ！
ド
ドーン
あれ!?

ミミズを捕食するクガビル

博士の視点
ところで、この子たち、お互いうれしそうにしてるね。
OK、撮ってあげよう！

ミミズの視点
おいしそうだな!!
ウワッ！危険！
ググググ
みんな逃げて！

チュル〜
一口でパクッ！
はっ！ クガビルがミミズをあっという間にのみ込んだ！
ビックリ
すさまじい光景だけど、おかげで再生回数が爆発しそう。
これがクガビルの実力さ！
衝撃！ クガビルがミミズをのみ込む！
今回のエンディングは少し衝撃的だね。
汗汗
ペロッ

第8話

ヒルの2つの顔

ヒソ
ヒソ
いいなあ。
腹減ってきた。
グー
僕も腹ペコだ……。
あったかい血を思い出すよ。

聞いた？　クガビルのやつ、ミミズを10秒で平らげたって！
グー

フフフフ……
ハア、あいつの血はすごく理想的だったぜ！36.5℃、血液型はAB型。
あいつ
ククククク……

バシ
キャッ！
ビックリ！

へへ、みんな元気かい？
あいつだ！

ガォー
獲物に向かって突撃！

ガン
ブスッ
ドン
もう撮影準備完了！

この習性を持つヒルは、チスイビルと呼ばれてるよ。
今日は僕らと一緒に動物の血を吸うヒルを観察していこう！
カシャッ
では、今日の主人公、チスイビルの登場です！
カシャッ
体の形や色はミミズとはだいぶちがうね。
カシャッ

ウン博士、ヒルはどっちが口でどっちがしっぽなの？
短くなって！
長くなる！

よく見ると、口はとがってて しっぽは丸いんだ！
しっぽ
口

しっぽにある吸盤を確認しよう！
ツル ツル
カタツムリの吸盤に似てるね。
吸盤の拡大写真
平べったい〜
カタツムリの吸盤

次はヒルのひだを確認しよう。多くのひだがあるだろ？
お〜、ひだが本当に多いね。ミミズのひだに似てるね。
ひだの拡大写真
しわ
くちゃ
ミミズのひだ

☆注意☆

ヒルに噛まれると数時間血が止まりません。ヒルの唾液にある「ヒルジン」という物質が、血が固まるのを邪魔するからです。

医療用ヒル

血を吸う習性があるヒルは、医療用として用いられることもあるよ。

ヒルは医療用として認められるほど治療効果があるそうです。
ヒルの使い道について調べてみましょう。

❶血行促進

ヒルに血を吸わせることで、血の巡りをよくします。

❷滞っている血液の除去

体内で滞っていたりする血を抜き出します。

＊医療用ヒルは無菌環境で育てられるなど特別な飼育をされているから、野生のヒルで試すのはやめてね。

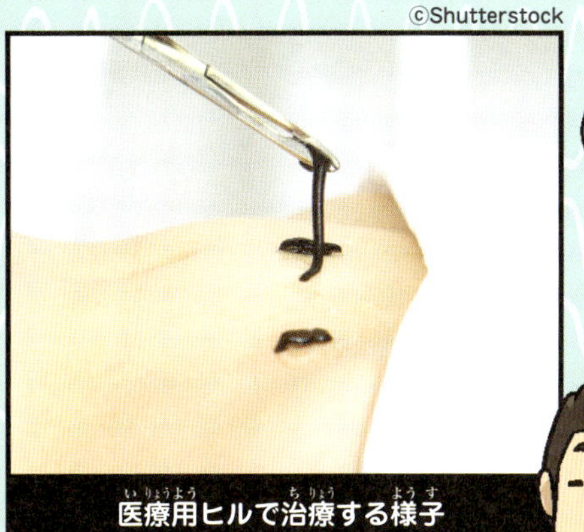

医療用ヒルで治療する様子

エッヘン、俺にも使い道が結構あるんだぞ！

ヒルがこんな役に立つんだね！

それがヤンシェフ特別メニュー！
牛レバー
クンクン、これ何だろう？
食べ物かな？
クンクン
ドヤドヤ
オオ、血のにおい！
キョロ
スーッ
味見しようかな？
ワオ、初めての味だ。
ガブッ
ガブッ
ガブッ
ガブッ
イケるぞ！
よく食べてるね！
ムシャ
ムシャ
牛レバー大食い映像撮影成功!!

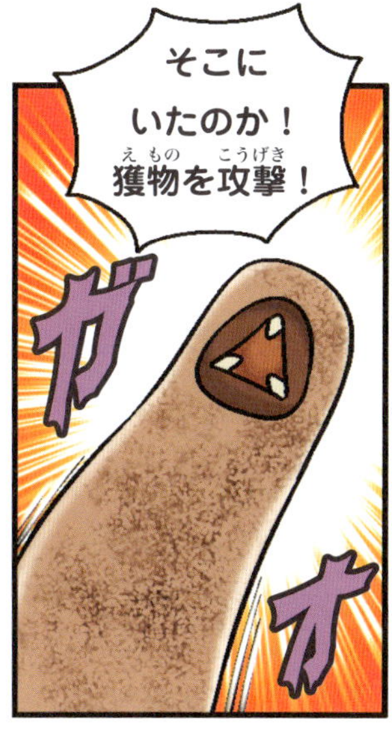

☆集中探求☆

ヒルは35～38℃の
温かい動物の血を
もっとも好むそうです。

動物の平均体温	
ニワトリ	42℃
牛	38.5℃
人	36～37℃
魚	水温とほぼ同じ

次の日
バイバイ、ヒルたち！
くもって湿度があるからヒルが好きそうな天気だね。

エーン、この子は帰るつもりがないみたい。
もう僕のことは忘れて～。
チッ……
しっかり覚えたぞ、ヤン博士。

また会おう！俺は一度味わった血の味は絶対忘れないんだ！
僕たちの縁はこれでおしまい！

どんより……
ヒルはかわいいけど怖いいきものだね！
雨が降りそうだから早く行こう！
ハハ

ポツッ
あれ!?

ザアア
ウワア、雨だ！
あ？
あそこに家が！

ラッキー！
あそこで雨宿り
しよう！
ゾクゾク……
スーッ

チスイビルとチスイビルの卵のう

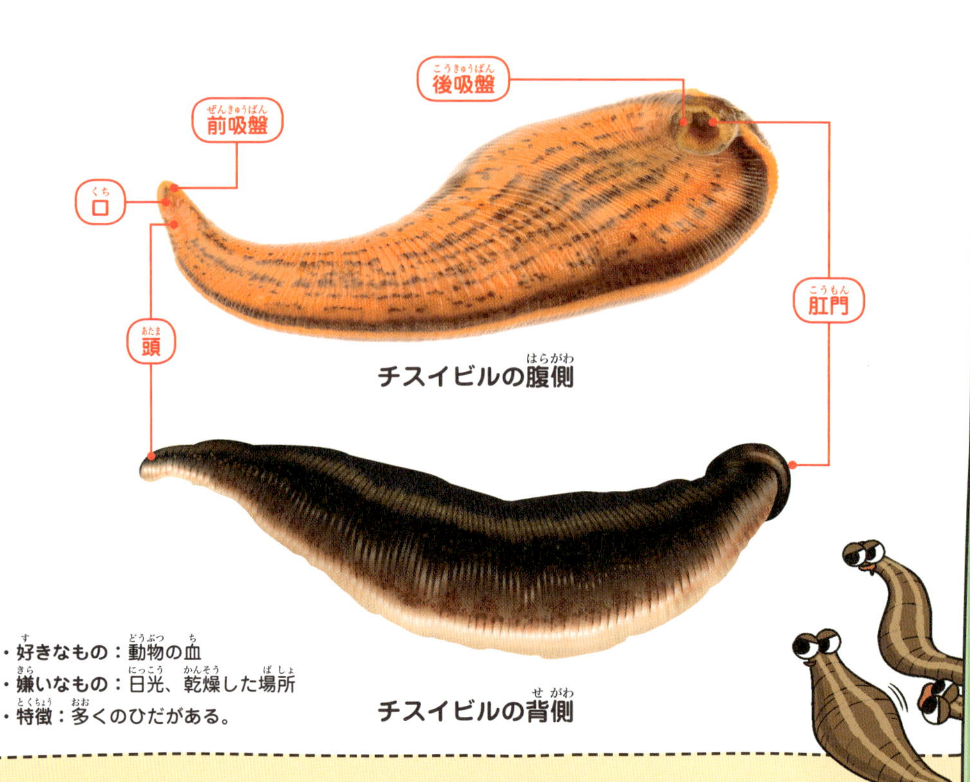

チスイビルの腹側

チスイビルの背側

- 好きなもの：動物の血
- 嫌いなもの：日光、乾燥した場所
- 特徴：多くのひだがある。

チスイビルの観察リポート

観察対象：

わかった点：

気になった点：

エッグ博士と一緒に観察リポートを自由に書いてみましょう。

チスイビルの卵のう

中に卵が入っている

- 大きさ：2～3cm
- 形：卵を保護する卵のうは丸い繭の形をしている。
- この中から生まれてくるヒルの数：平均3～5匹

チスイビルの卵のうの観察リポート

観察対象：

わかった点：

気になった点：

解答例：150ページ

第9話
廃屋の中のいきもの探検！
ギシ
ギシ
ブル
ブル
あの……、いますか？
シト
シト
人が住んでる所じゃないみたいだけど？
廃屋みたい。

ボリ
ボリ

中に何かいるみたい。
ハッ、聞こえた？
ブル
ブル

あれ
知ってる？
廃屋に人が来ると
幽霊たちのヒソヒソ話が
聞こえるんだって。
ブル
ブル
ヤン博士の
表情の方が怖い！

あれ
知ってる？
その声につられて
廃屋に入ると幽霊に取り憑かれる
んだって！
イヒヒヒヒ
と、
鳥肌が！
ゾーッ

あれ
知ってる？
こんな雨の日、
古くなった廃屋の中はね……。
パッ
な、何が
あるの！
ブル
ブル

クル
クル
自然のいきものたちの天国だった〜！
ピョ〜ン
また何かと……。

廃屋探検スタ〜ト
僕らにとって採集するのに最高の場所だよ〜！
ツカ
ツカ
おお、エッグ博士カッコいい！

一緒に行こう、エッグ博士。

あれ？
ユラッ

ニュッ
ギャアーッ！
ヒーッ
ど、どうした！

ク、ククク……、クモ……！
ウダダダ
幽霊よりクモの方が怖いエッグ博士。
ウッ、確かにクモがいたんだよ。
クモの巣だよ……。
スーッ
油断してた。さあ、また気を取り直して！
廃屋のいきもの探検に出発！
ザッ

廃屋の軒下に空っぽのスズメバチの巣を発見！
ガラ〜ン
スズメバチの巣も廃屋になったんだね！
ドアの前に落ちてる紙を持ち上げると……。
スッ
ピョン
カマドウマだ！
コオロギもいるぞ！
コロ
コロ
クリの木のすき間には……。
オスのアリと働きアリがいっぱいいる！
シタベニハゴロモの幼虫もいるぞ！
きれいだけど木に被害を与えるんだって。
レンガの下には……。
スッ
プル プル
ワラジムシ！
すごい！
どう？僕の言った通りだろ？

雨の日の廃屋がこんなに魅力的だったとは！
カシャッ
ハッ！クモだ。
シタベニハゴロモの幼虫
スズメバチの巣
クモ
アリ
ワラジムシ
カマドウマ

はーい、ナメクジさん！木の枝でそーっと！

モゾ
モゾ
!!

あれ？
ナメクジじゃ
ないよ！
あれは
コウガイビルだ！
あれが
コウガイビル
だって？
ビローン

体はナメクジに
似てるんだ。
粘性もあるし。

顔はまるで
シュモクザメみたい！

コウガイビルは
暗くて湿気のある
場所に生息
するんだって。

コウガイビルは
地球のあちこちで
見つかってるんだ。
ヤン博士、
きれいに撮って
あげて！

不思議ないきもの、コウガイビル

コウガイビルは平べったく長い体を持った扁形動物に属します。

コウガイビルの生態

生息地

湿った場所が好きなコウガイビルは、陰になったジメジメした土の上に生息しています。

見た目

扇の形の頭が特徴。体長が数センチのものから、最大で1ｍになる種もいます。

えさ

ミミズやカタツムリなどを主食にしています。消化液を分泌してえさを溶かし、体内に吸収します。

似ているようで違ういきものたち

みんな湿った場所が好きだという共通点がありますが、特徴はさまざまです。

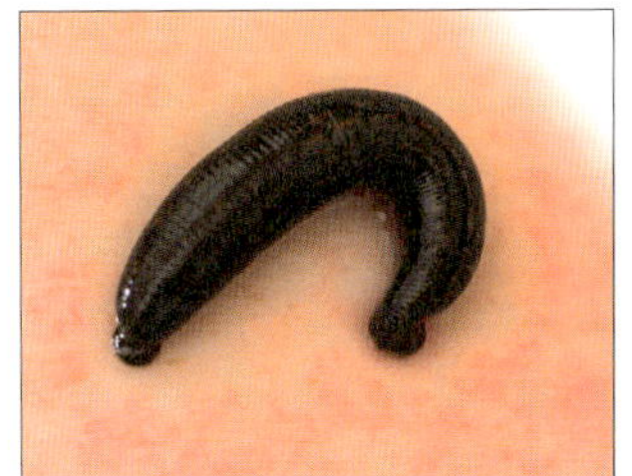

ヒル
分類：環形動物
特徴：吸盤と歯

コウガイビル
分類：扁形動物
特徴：扇形の頭

ナメクジ
分類：軟体動物
特徴：２対の触角

ヤッホー！　ふだん見ることのできない貴重ないきものが撮れた！
廃屋万歳！
??

ガシャッ
ビクッ

ガシャッ……
ボリボリ……
変な音が。
ヒーッ

ウワアァァー
ノッシ
待って！
怖い！
ビューーン
廃屋での採集はこれでおしまい！

ガシャッ

ヒョッコリ
あれ？
何か音がするぞ！

アア！
ボリ
ボリ……
ガリッ
うちのロロとププの
ごはんの音だったのか！

新鮮なえさを採集するのに
廃屋はピッタリだ！
お腹が
いっぱいに
なった？
ポツッ
ポツッ
怖くない
エッグ博士のいとこ流　廃屋採集のコツ
ヘッドホンをつけてノリのいい曲をかける！

ミミズが作った塔の秘密

おっ、あれは
ミミズのうんちだ！
ミミズの
うんち？

そうだ、
ヤン博士がミミズを
ここで放したんだよね。
あの子たちがした
うんちなのか！
菜園に巣を
作ったんだね。

ミミズのうんちは
ふん土とも呼ばれるんだ。
とてもすぐれた肥料として
知られているよ。
うんちが肥料に
なるのか。
ポツッ
あっ、
雨だ！
ポツッ

パラ
パラ
今年は雨が多いね！
ブリッ
ブリッ
だね、だね！
土の中はしっとりしてるし涼しくていいわ～。
ミミズおじさん、待ってよ！　おじさんは土掘り名人なんだから！
モグ
モグ

☆豆知識☆
周りの菜園でミミズのうんちを探してみてね。
うんちがまるで盛り土のような形をしてますね。
ミミズのうんちは土を健康にします。
ブリッ
ヨイショ
ヨイショ
僕らは土の上にお尻を出してうんちをするんだ。
早く帰ろう！
ブリッ
すっきりうんちをするぞ！
みんな！　このおじさんについておいで！
パク
パク

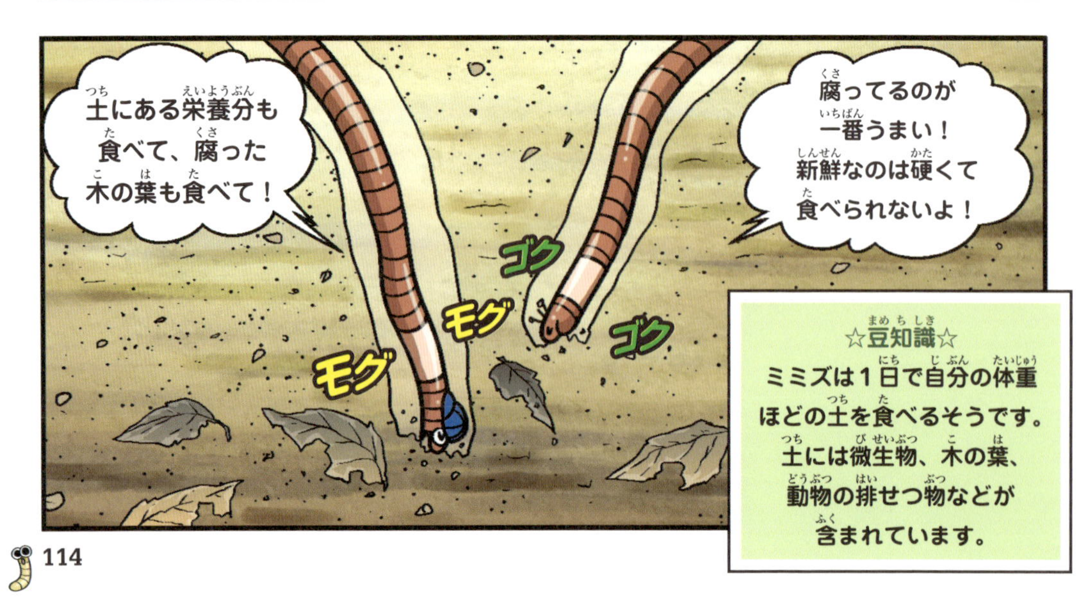

☆豆知識☆
ミミズは１日で自分の体重ほどの土を食べるそうです。土には微生物、木の葉、動物の排せつ物などが含まれています。

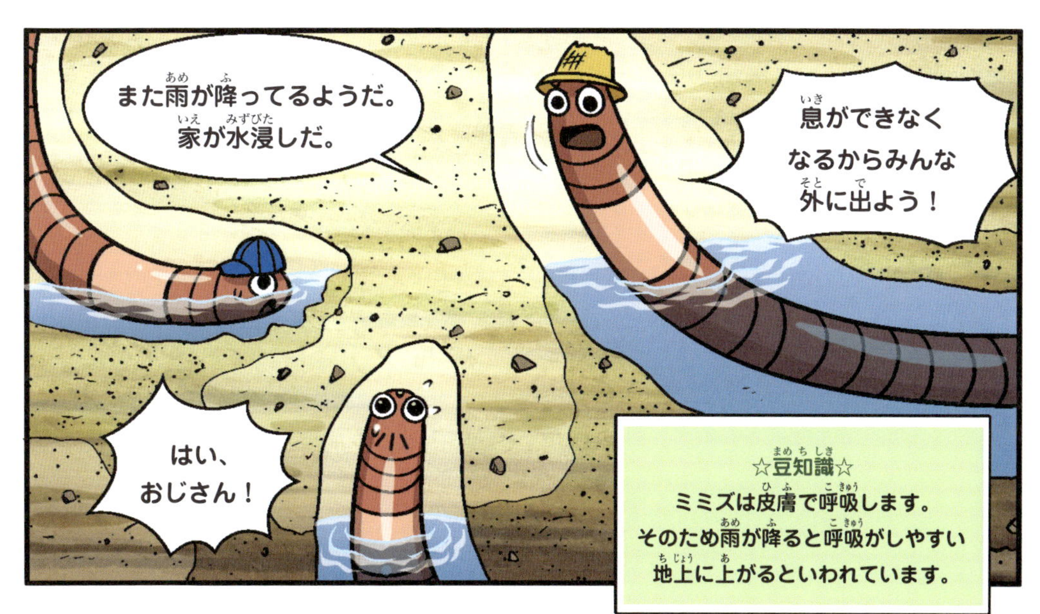

☆豆知識☆
ミミズは皮膚で呼吸します。
そのため雨が降ると呼吸がしやすい
地上に上がるといわれています。

ウワア、みんなも
外に出てるよ！？
クネ
クネ
みんな、
ゴメン。

雨が降って
しっとりした日は
僕ら大好きさ！

あの木が
ある場所まで
行ってみる？
いいね！

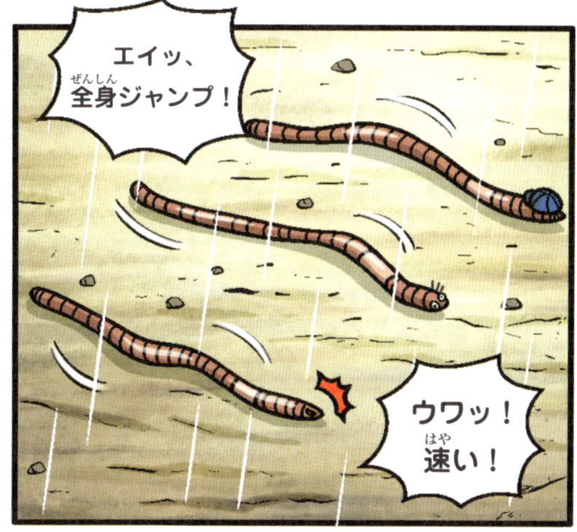

☆豆知識☆

ミミズの体は環の形の体節が連なっているので、体を縮めたり伸ばしたりして移動します。

あれ？　あれ
誰だろう？

パァ〜ン
ドキッ
かわいい！

あら。私は
ホバク村のゼリー。
やあ。僕はサンチュ村の
ピクオって言うんだ。
スーッ

あ〜！
僕ら競走中
だったんだ。
早く！
早く！
どうしたの
かしら？
クス
クス

はじめまして！
ラブ
ラブ
早く〜！
ピク兄！
早くこっち！

あっ、ピッ君！ 後ろに気をつけて！
何て言ったの？よく聞こえない！
スーッ

ググググググ
ウワアッ!!
モ、モグラだ!!
サンチュ村のピッ君とホバク村のゼリー！ 2人の運命は!?

迷路ゲーム

モグラから ピッ君とゼリーを救い出せ！

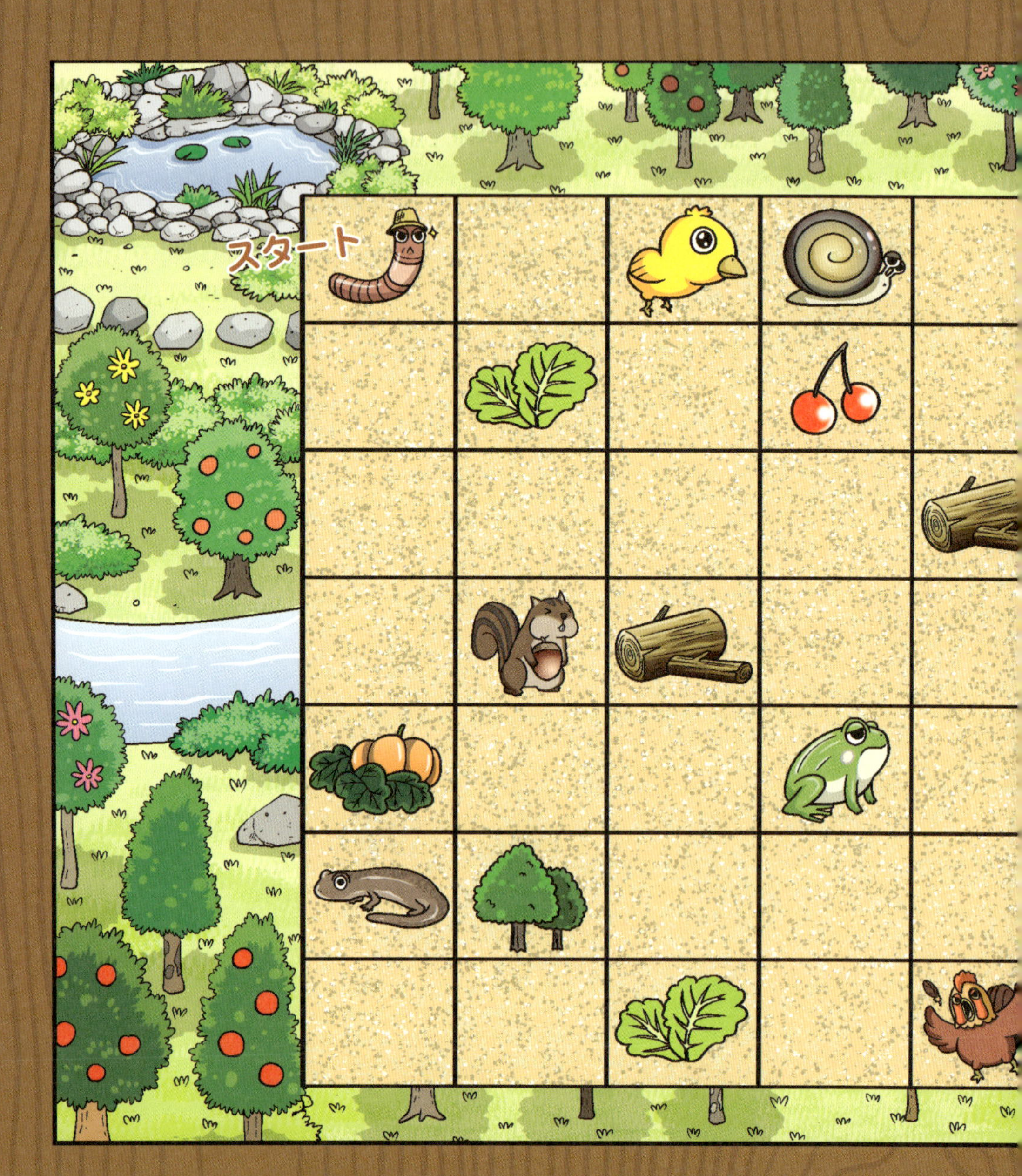

遊び方

ミミズのおじさんはピッ君とゼリーを救い出そうとしています。下にあるモグラの足跡を1マスごとにあてはめて道を探してください。

モグラの足跡の方向

ゴール

正解：151ページ

第11話

ミミズの天敵たち

ガォ～
ヒーッ

待て、モグラ！
アアン

ジュルル～
おいしそうなミミズが２匹もいるぞ！
エ～ン！
助けて～！

え？
……
そうだな。
こっちの方がもっと食べごたえがあるぞ！体も大きいし、まるまるとしてるぞ！

ドドドドドド
よし、お前を食べてやる！
食べられるもんなら食べてみな！
誘いに乗った！

あれ？土の中に隠れるのかい？
ニュ〜ッ

隠れられそうな場所は……。
キョロキョロ
あそこの土の中ならいいだろう。

ババババッ
知らないみたいだけど、おいらも土掘り名人だぞ！
ススッ

フム
あれ？ 穴がいくつもあるぞ？

われわれが作っておいた穴のトンネルがあちこちにあって隠れるのにピッタリだ！
クネ
クネ

あれ？ これはわれわれが掘ったもんじゃないぞ？

フフッ、土の中にあるのはお前らの穴だけじゃないぞ。
ド
やあ～！
ハッ
ハッ、モグラの穴！
ドーン

グハハ
捕まえたぞ、
ミミズめ！
ヌウッ

ゾ〜

ガシッ
な、何だ!?
スーッ

バババ〜ン
捕まえたぞ、
モグラめ！
コトン
ウウウウ。

うちの菜園を
めちゃくちゃに
して！
すごい土掘りの
名人だね。
僕の大事な
ホバクの葉と
サンチュが！

こいつ、またこんな
ことしたらゲンコツだぞ！
はい。

ああ、
ミミズが大ケガ
しちゃった。

ミミズの天敵
ミミズは多くの動物のえさになるんだ。
ミミズは
食べやすい！
ニワトリ
えさはミミズが
一番うまい！
魚
冬眠前の
最高のごちそうは
ミミズさ！
カエル
ミミズ
ミミズは
おらの主食
だぞ。
モグラ

チーム・エッグ
事務所
大丈夫かな？
しっぽが切れてる
けど……。
ミミズの回復室
ウ……
ウ……
痛そう。

再生するからあまり
心配しなくていいよ。
へえ、
トカゲの
ように？
ミミズの回復室

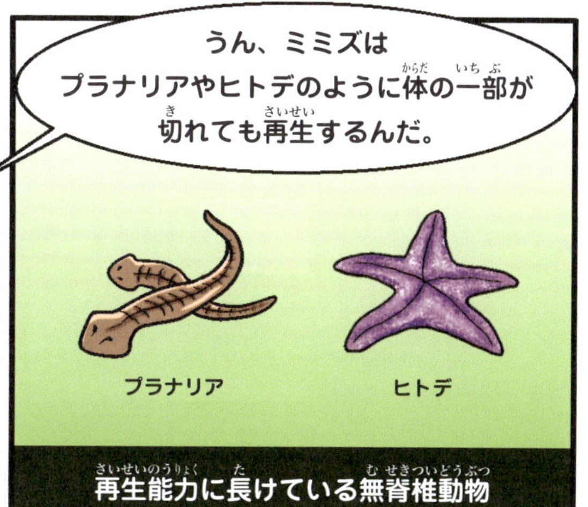
うん、ミミズは
プラナリアやヒトデのように体の一部が
切れても再生するんだ。
プラナリア
ヒトデ
再生能力に長けている無脊椎動物

切れた部分は
大きくないから
すぐに回復するさ。
ふう、
それはよかった。
回復するまで
僕らが面倒
みよう。

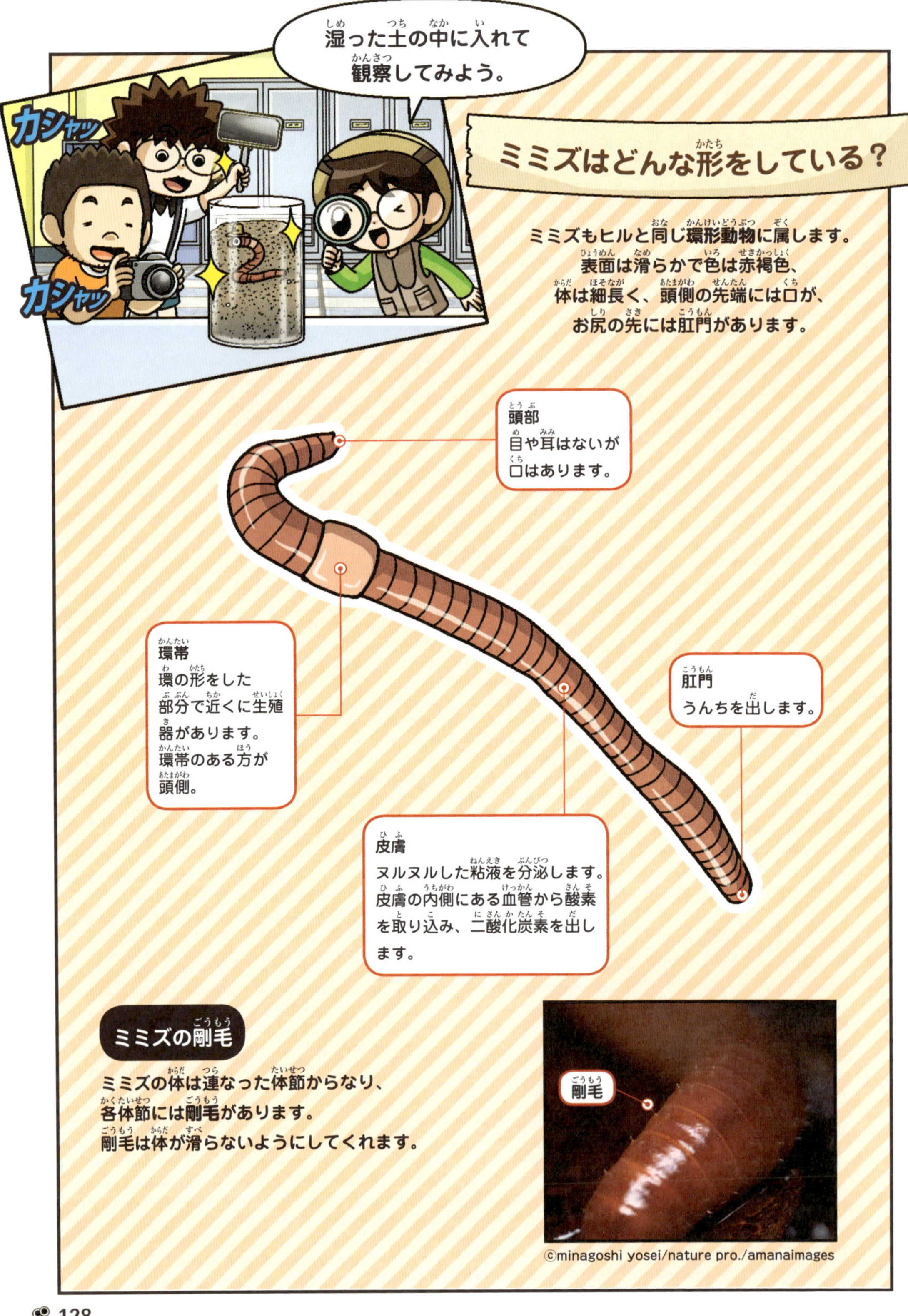

湿った土の中に入れて観察してみよう。
カシャッ
カシャッ
ミミズはどんな形をしている？
ミミズもヒルと同じ環形動物に属します。表面は滑らかで色は赤褐色、体は細長く、頭側の先端には口が、お尻の先には肛門があります。
頭部
目や耳はないが口はあります。
環帯
環の形をした部分で近くに生殖器があります。環帯のある方が頭側。
肛門
うんちを出します。
皮膚
ヌルヌルした粘液を分泌します。皮膚の内側にある血管から酸素を取り込み、二酸化炭素を出します。
ミミズの剛毛
ミミズの体は連なった体節からなり、各体節には剛毛があります。剛毛は体が滑らないようにしてくれます。
剛毛
©minagoshi yosei/nature pro./amanaimages

ミミズさん、
土の中でもう少し
休んだら？
スッ

モゾ
モゾ
あれ？　何かを
探してるようだけど？

あれ見て！
ミミズの友だちが
ケガしたミミズの
お見舞いに来た
みたい！
いらっしゃい！
おじさん、
大丈夫？
ニョロ
ニョロ
ああ、私は
大丈夫さ！

ピッ君と
ゼリーは逃げられたのかい？
はい、草が
生い茂った場所に
逃げました。

それはよかった。
私は平気だから
心配するな。
はい。
家族の再会の
瞬間のようだね。
なごむ～

ミミズたちのおかげで
菜園の作物も元気に育ったから
お礼をしてあげようか？
いいね！
お礼？

ワア、
ごちそうだ！
腐った
野菜の皮
甘い味がする
腐った果物
へへ～。たくさん
お食べ、みんな。
卵の殻

さあ、僕らも菜園で採った
サンチュとホバクの葉で
夕食を楽しもう！
いただきます！

秋の
サンチュは
一口で〜！
ア〜ン

ヒョイ
ギクッ

ウワア！
ビックリした！
こっちが
驚いた！
ヒュッ
モグラじゃなくて
エッグ博士に食べられる
ところだった！
プーッ
サンチュに隠れていた
ピッ君とゼリーの物語、
おしまい！

エッグ博士の農場に遊びにおいでよ！

ここ、ミミズ農場を
皮切りに、多くのいきものに
あふれた自然の楽園を
作るのが僕の夢です！
キラ〜ッ

すばらしい！
エッグ博士！
キラ
キラ

こっちのカメラ
見てください！
こっちです！
ドッ
押さないで！
ポーズを
お願い
します！
ドッ

ハハハハ
さあ、ケンカしないで、
皆さん、エッグ博士の農場に
遊びに来てください～！
ハハハ
……。
……。
……。
ピッ君&ゼリー
産卵場

エッグ博士、何を
想像してるんだい？
もうすぐ生まれる
ミミズを考えて
いたらつい。

微笑
ミミズ農場の主になる
想像をしていたんだ。
野心家
だね！

この子たちは
いつ孵化するの
かな？
ミミズの卵
楽しみだね、
娘と息子がバランスよく
孵化したらいいな。

卵が孵化するのに
2～6週間は
かかるぞ。
ところで、君たちは
大事なことを
忘れてるね。
フッ
な、何？

ⓒShutterstock

ミミズの卵が孵化する過程

ミミズの卵

ミミズの卵は１～５mmでとても小さい。

孵化

２～６週間後、卵からミミズが生まれます。

孵化後

時間が経過すると徐々に色が変わります。

ⓒ聯合ニュース

ミミズは1年に10個から数百個の卵を産むらしいよ。
大家族になるのは時間の問題だね！
ピッ君&ゼリー産卵場

大家族の面倒をみるなら菜園をもっと大きくしなくちゃ。
フム
本当に大農場が必要かも。

菜園を増やすことの他にいろいろと方法もあるんじゃない？
ミミズを分けてあげるとか……。

そうだよ、ヤン博士！おかげでアイデアが浮かんだよ！
サッ
そ、そうなの？

それがまさにミミズの鉢植えづくり！
ミミズの鉢植え？
ジャーン

エッグ博士と一緒に

ミミズの鉢植えづくり

＊ミミズが植物のための肥料を食べてしまって植物が育ちにくくなるなど、よくない影響が出ることもあります。

☆豆知識☆温度は15～25℃、湿度は60％くらいを保つのがいいですよ。

冬だったら鉢植えをクリスマスツリーにするのもいいね！
じゃ、出発するよ！
バババーン
☆注意☆
ミミズは光が嫌いです。クリスマスツリーに電球はつけないでね。
ミミズの鉢植えをプレゼントするよ！
おお、すばらしい。大事に育てるよ。
養蜂場
おじいさん
言っておくけど、これはカエルのえさじゃないよ。
鉢植えの中にミミズがいるって？
エッグ博士のいとこ
あら、ちょうどミミズのふん土が必要だったの。ありがとう！
隣の家のおばさん

一方、菜園に残ったピッ君家族は……。
おじさん、菜園が静かだね。
博士のおかげでみんないい所に行ったはずだよ。
それに寒くなったから、他の仲間は土の中に入っただろうし。
チーム・エッグ

われわれもそろそろ冬越しの準備をしなきゃね。
はい、おじさん！
ママ、冬越しって何？

土の深い場所に入って冬眠することだよ。あなたたちも穴を掘れるよね？
もちろん！

よく見ててね！
モゾ
やるねえ！
ズブーッ
モゾ

チーム・エッグ
穴を掘ろう！
あっ、そっちじゃない！！
モゾ
みんなついておいで！
ここにみんな集まって寝ることにしよう。
モゾ
モゾ
はい！
☆豆知識☆
ミミズは寒くなると、土の温度とともに体温が下がって活動できなくなるので冬眠します。

ピッ君とゼリーが見えないね。
冷えてきたからみんな土の中に入ったみたい。
みんな冬眠の準備をしに行ったんだね。
ウ～ン

トノサマガエルたちも
冬眠に入ったんだろうね。
会いたいな。
かわいい末っ子
ガエル！
ゲロ
ピンポーン
あれ？
誰だろう？
オ〜　ホホホ〜
みんな〜、
メリー
クリスマス！
ジャン
サ、
サンタさん!?
に変装した
いとこ？
スッ
ククッ、そう。
俺だよ俺！
ロロ、ププ！
久しぶり！
ゲロ
タタタ

それ何？
あ、
これ～。

おお！
ミミズの
鉢植えをもらった
お礼にクリスマス
プレゼントを持って
きたんだ。
ドカドカ

カエルたちと
楽しむ
ブロック遊び！
え？
ブロック？
ガラガラ
ククククク

ブロック迷路
ゲーム対決だ！
トノサマ
ガエルたち、
出てきな！
出ろ！
出ろ！

トノサマガエルたちは
冬眠しに行ったけど。
何だと？
ガ～ン

「ドクターエッグ３」おしまい。次回も楽しみにしててね！

クリスマスは エッグ博士と共に！

3人の博士たちがいきものの人形をクリスマスツリーに飾っています。
2つの絵を比べて、違うものを10個選んでね！

正解：151ページ

チーム・エッグの制作日記①

エッグ博士はクモが苦手。

この物語は1995年のある夏の日の夜……。
偶然あるドラマを見た少年から始まります。

エッグ博士に内緒で
クモをすくう
やあ、みんな～！

エッグ博士に内緒で
クモを取る
何かある？
ササッ
何も！

エッグ博士に内緒で
クモを隠す
今日のいきものは！
ヒョイ！

エッグ博士に内緒で
クモを誘う
チョウ？
スル
スル
みんな～。

ガシッ
ウハハ！
楽しい！
ゴロゴロ
サッ
サッ
見えない場所で必死にクモと戦うアベンジャーズ

今日の撮影もスムーズでハッピーエンド！
エッグ博士、あなたの笑顔の裏には、われわれの隠れた努力があるんだよ！
最高！
お疲れ！
よかったよ！

チーム・エッグの制作日記②

バタン
ドダン
ドタン
グラ
グラ
みんな、撮影に集中してよ。
ゲロ！
待て、ストップ！
ゴロ
ゴロ
待て～！

しばらくして
フウッ
今日の撮影は失敗……。
ウン、失敗だ……。
み、みんな……。とっても元気な友だちだったでしょ？
グイッ
グイッ
ギュッ
ギュッ
……。
じゃ、エンディングだよ～。
あれ？
ピョン
ハイ
ハイ
ブルーがごあいさつ！みんな、メリークリスマス！
ラストはブルーが助けてくれた！

クイズの答えだよ。正解を確認してみてね。

74〜75ページ

98〜99ページ

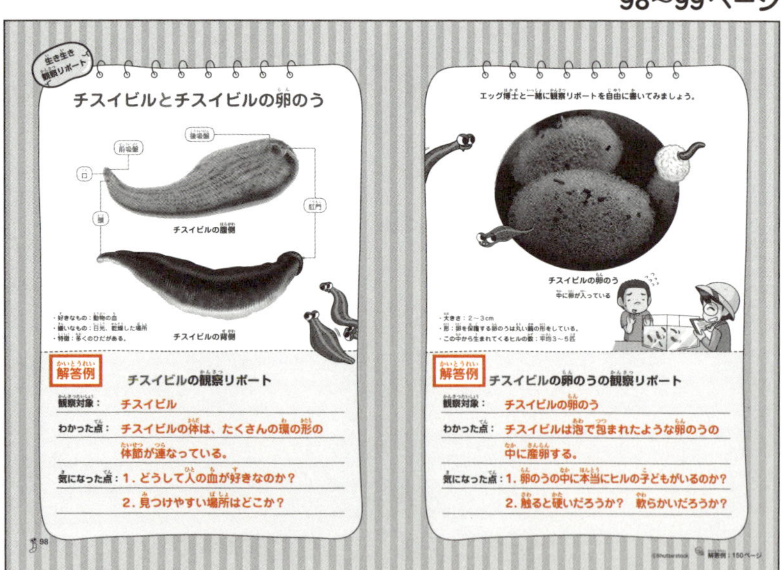

120～121ページ

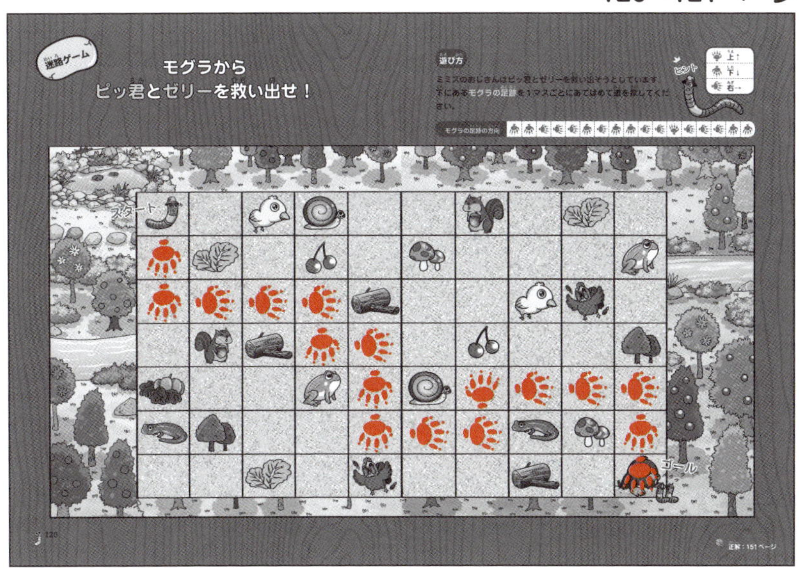

144～145ページ

ドクターエッグ3　カエル・サンショウウオ・ヒル・ミミズ

2022年6月30日　第1刷発行

著　者　文　パク・ソンイ／絵　洪鐘賢（ホン ジョン ヒョン）

発行者　片桐圭子

発行所　朝日新聞出版

〒104-8011

東京都中央区築地5-3-2

編集　生活・文化編集部

電話　03-5541-8833（編集）

03-5540-7793（販売）

印刷所　株式会社リーブルテック

ISBN978-4-02-332203-5

定価はカバーに表示してあります

Translation：Han Heungcheol / Kim Haekyong

Japanese Edition Producer：Satoshi Ikeda

Special Thanks：Kim Suzy / Lee Ah-Ram
(Mirae N Co.,Ltd.)